STORI CYN CYSGU 2

Lluniau:

Graham Howells   Angela Morris
Gill Roberts   Eric Heyman

STORI CYN CYSGU 2

Golygydd

Myrddin ap Dafydd

Awduron

Caryl Lewis Mari Gwilym

Helen Emanuel Davies Beca Brown

Angharad Tomos Elin Meek

Myrddin ap Dafydd Haf Llewelyn

Bethan Gwanas

Gwasg Carreg Gwalch

Argraffiad cyntaf: Medi 2008

(h) y straeon: yr awduron 2008
(h) y lluniau: yr arlunwyr 2008

Rhif Llyfr Safonol Rhyngwladol: 978-1-84527-165-7

Llun clawr blaen:
Cynllun clawr: Cyngor Llyfrau Cymru

Lluniau tu mewn: Gill Roberts tt 1, 4, 5, 12-17, 30-35, 42-47, 63
Angela Morris tt 2, 18-23, 54-60
Graham Howells tt 3, 36-41, 62
Eric Heyman tt 2, 4, 6-11, 24-29, 48-53

Argraffwyd a chyhoeddwyd gan Wasg Carreg Gwalch,
12 Iard yr Orsaf, Llanrwst, Dyffryn Conwy LL26 0EH.
Ffôn: 01492 642031
Ffacs: 01492 641502
e-bost: llyfrau@carreg-gwalch.com
lle ar y we: www.carreg-gwalch.com

CYNNWYS

Y Bincis Duon

E*I gona)*

Caryl Lewis

Mae pawb wedi clywed am y mathau mwyaf cyffredin o dylwyth teg. Y tylwyth teg sy'n casglu ein dannedd yng nghanol y nos, y tylwyth teg sy'n agor y blodau bob bore ar waelod yr ardd. Ac, wrth gwrs, y tylwyth teg sy'n paentio'r enfys yn goch, yn felyn ac yn borffor ac yn bob-lliw-dan-haul. Ond ychydig iawn sydd wedi clywed am y math mwyaf diddorol o dylwyth teg, y rhai nad yw eich rhieni yn sôn amdanyn nhw – y Bincis Duon.

Draw tu hwnt i ben pella'r byd, wrth waelod derwen fawr hyfryd, mae pentre'r Bincis Duon. Yn ystod y dydd, pan mae'r haul yn gwenu, mae pawb yn y pentref yn cysgu'n sownd. Ond gyda'r nos, mae'r trigolion yn dihuno ac yn agor botymau eich matras fel drysau, gan wthio trwyddo i'r byd hwn er mwyn dechrau ar eu gwaith.

Mae Bwglen, sy'n byw yng nghanol y pentre, yn gollwng bwced mawr i lawr i'r ffynnon o fwgis sydd ganddi o flaen y tŷ er mwyn eu harllwys i lawr eich trwyn pan fyddwch chi'n cysgu. Mae Dryslyn, sy'n byw mewn gwrych mawr dryslyd, yn ymarfer clymu clymau drwy'r amser cyn sleifio i mewn i'ch gwely gyda'r nos i glymu clymau gwyllt yn eich gwallt. Brychan sy'n byw yn y tŷ mawr smotiog. Mae yntau'n gwisgo ei esgidiau hud er mwyn dawnsio ar eich trwyn bob nos gan adael brychau haul ar ei ôl. Ar gyrion y pentref mae pob math o Finci'n byw: Coslyn sy'n tyfu gogleisiau anferth mewn rhesi yn yr ardd; Dafaden sy'n crasu defaid fel cacs mewn ffwrn fawr; Cen sy'n gratio cen fel caws i mewn i'ch gwallt gyda'r nos, a Cwsglen. Hi sy'n mynd i'r goedwig i ddal chwyrniade tew er mwyn eu gosod yn eich pen yn y tywyllwch.

Un noson, pan oedd y lleuad wedi golchi ei hwyneb yn lân a dringo'r awyr yn dawel, fe glywodd pawb ym mhentre'r Bincis Duon rhyw ddwndwr ofnadwy.

"O diar! O diar, diar! Be wna i? Be wna i? Mae hyn yn ofnadwy!"

Roedd Brychan yn sefyll o flaen ei dŷ smotiog yn crio. Rhoddodd Bwglen ei bwced o fwgis ffres i lawr wrth glywed y sŵn a rhedeg ato.

"Be ar y ddaear sy'n bod, Brychan bach?" gofynnodd hi gan roi ei braich amdano.

"Wel, mae'r peth rhyfedda wedi digwydd…" atebodd yntau a'i lais yn torri. "Wnes i adael fy esgidiau hud tu allan i'r tŷ cyn mynd i gysgu'r prynhawn 'ma… ac wedi imi ddihuno… roedden nhw wedi mynd!"

Edrychodd Bwglen ar ei draed noeth am eiliad.

"O diar!" meddai hi.

"Be wna i nawr?" gofynnodd Brychan a'r dagrau'n powlio i lawr ei fochau.

"Alla i ddim mynd i ddawnsio ar drwyn neb heno! Mae hyn yn ofnadwy!"

Roedd Bwglen yn teimlo trueni mawr drosto. Gallai hi ddychmygu pa mor drist y byddai hi'n teimlo petai hi'n colli ei bwced bwgis.

"Dere di. Dere di. Beth am inni chwilio amdanyn nhw?" gofynnodd Bwglen gan dynnu hances fawr o boced ei chardigan er mwyn i Brychan gael sychu ei drwyn.

"Dwi ddim yn gwybod lle i ddechrau," sniffiodd Brychan yn drist. Edrychodd Bwglen o gwmpas.

"Dwi'n gwybod! Dechrau wrth dy draed!" atebodd hi gyda gwên.

"Beth?" gofynnodd Brychan.

"Edrych ar y llawr, Brychan! Mae'r esgidiau hud wedi gadael llwybr o frychau haul!"

Edrychodd Brychan. Yn wir, roedd yna lwybr o smotiau bach oren yn ymestyn ymhell o'u blaenau.

"Gallwn ni ddilyn y llwybr... a dod o hyd i'r esgidiau!" meddai Brychan gan neidio i fyny ac i lawr a chlapio'i ddwylo.

"A phwy bynnag aeth â nhw," winciodd Bwglen.

Dyma Brychan a Bwglen yn dechrau dilyn y llwybr o frychau ar hyd y pentref. Cerddodd y ddau o gwmpas ffynnon fwgis Bwglen dair gwaith, heibio i'r tŷ ac ymlaen i dŷ Dryslyn. Roedd hwnnw'n clymu clymau yn yr ardd.

"Helô!" meddai wrth weld y ddau.

"Rydyn ni'n chwilio am esgidiau hud Brychan!" meddai Bwglen.

"O diar! Wna i eich helpu chi."

Dyma'r tri yn dechrau dilyn y llwybr a hwnnw'n troelli o flaen tŷ Dryslyn. Dilynodd y tri y llwybr rhwng y drysni, dros y ffliwchie gwallt ac o dan y clymau mawrion ond… dim byd. Roedd y llwybr yn ymestyn yn hir o'u blaenau. Cerddodd y tri i lawr y stryd ac at ddrws Cwrlen. Cnociodd y tri ar y drws. Roedd Cwrlen yn Finci swil iawn a dim ond cilagor y drws wnaeth hi.

"Helô!" meddai'r tri gyda'i gilydd. "Rydyn ni'n chwilio am esgidiau hud Brychan!"

"O diar!" meddai Cwrlen y tu ôl i'w sbectol drwchus. "Dwi ddim wedi eu gweld nhw… ond… fe ddof i'ch helpu chwilio amdanynt."

Gorffennodd Cwrlen gwrlio cwrlyn hir o wallt melyn cyn cau'r drws ac ymuno â'r Bincis eraill.

Dilynodd y pedwar y llwybr i ben pella'r pentref, lle roedd y Bincis tywyllaf yn byw. Yno, roedd Dafaden yn pobi defaid mawr blewog mewn ffwrn anferth a Cen yn gratio cen fel caws i mewn i bowlen. Pan ddwedodd Bwglen wrthyn nhw eu bod yn chwilio am esgidiau hud Brychan, siglodd y ddau eu pennau ond fe gytunon nhw i helpu chwilio amdanynt hefyd.

Erbyn hyn, roedd hi'n dechrau tywyllu a Brychan yn gwybod y byddai'n rhaid dod o hyd i'r esgidiau hud cyn hir neu fe fyddai hi'n rhy hwyr i'r Bincis Duon fynd at eu gwaith. Roedd Brychan yn mynd bob nos i ddawnsio. Allai e ddim dychmygu aros gartref a gwylio'r Bincis Duon eraill yn mynd hebddo.

Dilynodd y chwech y llwybr o frychau haul a oedd erbyn hyn yn disgleirio'n euraid yng ngolau'r lleuad. Arweiniodd y llwybr nhw at dŷ Coslyn a oedd yn paratoi ei sach o ogleisiau yn yr ardd flaen.

"Rydyn ni'n chwilio am esgidiau hud Brychan,' meddai Bwglen. 'Wel, fe gewch chi chwilio gyda phleser," atebodd Coslyn. "Dwi'n mynd i'r ardd gefn fy hun nawr."

Dilynodd y chwech Coslyn i'r ardd gefn. Yno, roedd ei ogleisiau anferthaf yn tyfu'n dawel mewn rhesi. Roedd y saith ar fin dechrau chwilio pan glywon nhw'r sŵn mwya dychrynllyd erioed! Sŵn rhochian yn dod o ganol y dail. Neidiodd pawb a chuddiodd Cwrlen y tu ôl i Brychan mewn ofn.

"Beth oedd y sŵn 'na?" gofynnodd Bwglen.

"Edrychwch!" sibrydodd Coslyn.

Roedd y llwybr aur yn diflannu i mewn i'r gogleisiau tal. Dilynodd y saith y llwybr yn dawel bach ar flaenau eu traed ac wedi iddyn nhw agosáu at y sŵn rhochian mawr, fe wahanon nhw'r dail yn ara bach. Yno, roedd y llwybr yn gorffen. Ac yno, yn gorwedd ymysg y gogleisiau, roedd Cwsglen yn cysgu'n braf a'r esgidiau hud am ei thraed!

"O, helô bawb!" meddai hi wrth ddihuno. "Ble ydw i?"

Rhwbiodd Cwsglen ei llygaid wrth geisio dihuno. Edrychodd yn syn ar yr esgidiau hardd am ei thraed.

"O! Pwy sydd biau'r esgidiau yma?!"

Roedd pawb yn chwerthin.

"Dwi'n meddwl dy fod wedi bod yn cerdded yn dy gwsg unwaith eto, Cwsglen," meddai Bwglen â gwên fawr ar ei hwyneb.

"Ac wedi cerdded dros fy esgidiau a mynd â nhw gyda ti!" meddai Brychan. Roedd e'n falch ofnadwy o weld ei esgidiau hud unwaith eto.

"O diar!" meddai Cwsglen. "Dyna ffwdan dwi wedi'i hachosi i bawb!"

"Does dim ots o gwbwl!" atebodd Brychan gan roi ei esgidiau yn

ôl am ei draed o'r diwedd. "Ond dwi'n meddwl ei bod hi'n bryd i ni gyd fynd at ein gwaith."

Ac wrth i'r lleuad oleuo eu ffordd, fe aeth Bwglen i gasglu ei bwced, a Coslyn i dynnu ei ogleisiau. Cydiodd Dryslyn yn ei glymau, a chasglodd Cwrlen ei hudlath gwrlio. Gwthiodd Dafaden ei defaid blewog i rwyd ac fe arllwysodd Cen ei gen gwyn i sach.

Gwthiodd Cwsglen chwyrniad tew dan ei chesail. Tynnodd Brychan anadl hir wrth weld pawb yn casglu yng nghanol y pentref yn barod am noson arall o waith. Roedd popeth yn ôl i drefn unwaith eto a phob peth fel y dylai fod. Wedi'r cyfan, petaech chi'n dihuno yn y bore heb glymau yn eich gwallt, heb fwgis yn eich trwyn a heb ogleisiau yn eich pyjamas... wel... fe fyddai rhywbeth jest ddim yn teimlo'n iawn.

Rwy'n siŵr eich bod wedi clywed sawl stori am y tylwyth teg. Rhai yn sôn am dylwyth teg y dannedd. Rhai yn sôn am dylwyth teg y blodau efallai, ond ychydig iawn sydd wedi clywed am y math mwya diddorol o dylwyth teg: y Bincis Duon.

PWY SY YN Y PARC?

Helen Emanuel Davies

"Pedro! Pedro! Wyt ti'n dod am dro?" galwodd Nia.

Rhuthrodd Pedro'r pŵdl at y drws. Roedd e'n hoffi mynd am dro. Rhoddodd Nia'r tennyn coch am wddw Pedro, ac i ffwrdd â nhw i'r parc. Trodd Nia a Pedro i mewn drwy'r gatiau mawr a cherdded ar hyd y llwybr. Roedd hi'n ddiwrnod gwyntog, a chymylau gwyn yn chwythu drwy'r awyr, yn rhwygo'r dail oddi ar y coed ac yn cosi clustiau Pedro'r pŵdl.

Ymhen tipyn, meddai Nia, "Galli di redeg yn rhydd nawr." Tynnodd y tennyn oddi am wddw Pedro, a chymryd pêl o'i phoced. Dyna gychwyn ar gêm wyllt – Nia'n taflu'r bêl nerth ei braich a Pedro yn rhedeg i'w nôl. Ar ôl deng munud roedd wyneb Nia'n goch a thafod Pedro'n hongian allan o'i geg!

Yna clywon nhw sŵn pobl yn gweiddi "Hwrê!" ac yn sydyn roedd cwmwl mawr o falwnau pob lliw yn chwythu drwy'r awyr. Ras falwnau oedd yn cychwyn! Cododd ofn ar Pedro wrth iddo weld y balwnau mawr tew – rhai coch, glas, oren a gwyrdd – yn rhuthro tuag ato! Trodd a rhedeg i ffwrdd, ond roedd y balwnau'n dal i ddod! "Aros, Pedro, aros!" galwodd Nia. Ond roedd gormod o

ofn ar Pedro. Rhedodd
ymlaen ac ymlaen, yna'n
sydyn gwelodd lwyn
mawr ar un ochr i'r
llwybr. Trodd a chuddio
y tu ôl i'r llwyn.
Chwythodd y balwnau
heibio iddo! Diolch byth!
Roedden nhw wedi
mynd!

Arhosodd Pedro yn ei guddfan am amser hir, rhag ofn bod yna
fwy o falwnau ar eu ffordd, ond o'r diwedd, penderfynodd ei bod
hi'n ddiogel iddo ddod allan. Mentrodd i'r llwybr ac edrych o'i
gwmpas. Doedd e ddim wedi bod yn y rhan hon o'r parc o'r
blaen. A ble roedd Nia? Aeth Pedro yn ei flaen ychydig ar hyd y
llwybr, yna trodd i'r dde. Na, nid dyna'r ffordd iawn. Cerddodd y
ffordd arall a throi i'r chwith, ond doedd e ddim yn adnabod y
llwybr hwnnw chwaith. *Dwi ar goll*, meddai Pedro wrtho'i hun. *O
na! Mae hi'n oer ac mae hi'n dechrau nosi. Dwi eisiau mynd adre.*

Eisteddodd Pedro'r pŵdl ar ganol y llwybr. Teimlai'n drist ac yn
unig, ac O! Roedd eisiau bwyd arno. Beth oedd e'n mynd i'w
wneud? Yna clywodd lais yn gofyn, "Tw-hww, tw-hww! Pw-wy
w-wyt ti?"

Neidiodd Pedro. Pwy yn y byd oedd yno? Edrychodd o'i gwmpas
a gwelodd dylluan yn eistedd ar gangen uwch ei ben. Tylluan
frech oedd hi, gyda llygaid disglair du a phig fachog.

"Pw-wy w-wyt ti?" gofynnodd y dylluan eto.

"P-p-p-Pedro ydw i," atebodd y ci bach. Roedd ei lais yn crynu
gan ofn. "P-p-p-pwy wyt ti?"

"Dwwynwen ydw-w i," atebod y dylluan yn bwysig. "Dw-wi'n
byww yn y parc. Mae'n hw-wyl byw-w yn y parc. Pam w-wyt ti'n
edrych yn drist?"

"Dwi ar goll," meddai Pedro. "A dwi eisiau fy swper."

"Sw-wper? Cei di sw-wper gyda fi," meddai Dwynwen. "Cei di w-wledd. W-wyt ti'n mw-wynhau chw-wilod a mw-wydod?"

Chwilod a mwydod! Ych a fi! Doedd Pedro ddim eisiau chwilod a mwydod! Roedd e'n arfer cael cig a bisgedi blasus i swper!

"Diolch," atebodd. "Does dim llawer o eisiau bwyd arna i wedi'r cyfan. Dwi wedi blino gormod i fwyta swper."

Meddai Dwynwen, "Angen noson o gw-wsg sy arnat ti. Dw-wi'n cysgu trw-wy'r dydd ac yn hela trw-wy'r nos. Mae fy ngw-wely i'n

w-wag yn y nos. Cei di gysgu yn fy ngw-wely i."

"Diolch yn fawr," meddai Pedro. Syniad da, meddyliodd. Bydda i'n siŵr o ddod o hyd i'r ffordd adre yn y bore. Gofynnodd i Dwynwen, "Ble mae dy wely di?"

"Yn y dderw-wen faw-wr," atebodd Dwynwen. Pwyntiodd â'i hadain at goeden enfawr. "Mae gen i dw-wll tlw-ws w-wrth yr w-wythfed gangen." Edrychodd Pedro ar y goeden. Roedd hi'n uchel iawn. Suddodd ei galon.

"Ond alla i ddim cyrraedd y twll," meddai. "Dwi ddim yn gallu hedfan ac alla i ddim dringo mor uchel."

"Tw-hww, tw-hww!" meddai Dwynwen yn ddiamynedd. "Ddim eisiau sw-wper, ddim eisiau gw-wely. Gw-wastraffu fy amser i w-wyt ti. Dw-wi'n mynd i hela. Hw-wyl!"

Lledodd ei hadenydd a chodi'n uchel i'r awyr, gan hwtian "Tw-whit-tw-hww! Tw-whit-tw-hww!" Diflannodd o'r golwg uwchben y coed.

Druan â Pedro ar ei ben ei hun yn y parc yn y nos. Meddyliodd am ei fasged gyfforddus. Meddyliodd am lond platiad o gig a bisgedi cŵn.

Yn sydyn, clywodd siffrwd yn y llwyn wrth ei ymyl. Gwrandawodd yn astud.

"Pwy sy 'na? Grrr! Grrr! Pwy sy 'na?" gofynnodd Pedro. Roedd e'n ceisio ymddwyn yn ddewr, er bod ofn arno.

Daeth y sŵn siffrwd unwaith eto. "Ydy hi wedi mynd?" sibrydodd llais.

"Pwy?" gofynnodd Pedro'n syn.

"Dwynwen y dylluan."

"Ydy, mae hi wedi mynd," meddai Pedro.

Llithrodd llygoden fach allan yn llechwraidd o dan y llwyn.

"Llwyd y llygoden fach ydw i," meddai. "Llawer o ddiolch i ti. Mae Dwynwen yn hoff iawn o hela llygod.

Pan mae'r lleuad yn llawn, dwi'n llercian dan y llwyn."

Ddywedodd Pedro ddim byd, dim ond syllu ar Llwyd. Roedd gan y llygoden drwyn main, bochau tew a llygaid du, craff. Roedd ei gorff yn dew hefyd a'i gynffon yn hir.

Meddai Llwyd yn llon, "Rwyt ti ar goll, on'd wyt ti? Alla i roi llety i ti a llond bol o fwyd. Wyt ti'n hoffi llysiau? Dwi'n llyncwr llysiau llawen iawn." Llyfodd ei wefusau.

Doedd Pedro ddim yn hoff iawn o lysiau ond doedd e ddim eisiau bod yn anghwrtais. "Mmmm, diolch," meddai.

Trodd Llwyd ar ei sawdl a diflannu o dan y llwyn. Dim ond ei gynffon hir oedd yn y golwg. Dilynodd Pedro'r gynffon a llusgo'i hun ar ei stumog o dan y llwyn. Roedd hi'n llaith ac yn fwdlyd a doedd dim llawer o le. Roedd brigau'r llwyn yn bigog ac yn llym. *Ych a fi*! meddai Pedro wrtho'i hun.

Yna'n sydyn, meddyliodd iddo glywed rhywun yn galw'i enw.

Stopiodd a gwrando'n astud.

"Pedro! Pedro!" Dyna fe eto. Llais Nia'n galw!

"Hei'r llabwst! Ble rwyt ti?" galwodd Llwyd o berfedd y llwyn.

Ond trodd Pedro gan lusgo'i hun allan i'r llwybr ar ei fol, yna rhedodd nerth ei draed.

"Pedro! Pedro!" Cyfarthodd Pedro'n uchel a daeth Nia a Dad i'r golwg ar y llwybr. Roedden nhw wedi dod i chwilio am Pedro. Ew! Roedd y tri'n falch o weld ei gilydd!

Y noson honno, ar ôl bwyta llond powlen o gig a bisgedi cŵn, aeth Pedro i orwedd ar ei flanced goch gynnes yn ei fasged gyfforddus. Meddyliodd am Dwynwen yn bwyta chwilod a mwydod yn ei thwll yn y goeden. Ych a fi! Meddyliodd am Llwyd yn llowcio llysiau yn ei dwll llaith dan y llwyn. Ych a fi! Caeodd Pedro'i lygaid a chysgu'n braf.

CWPWRDD DILLAD CASI A CELT

Beca Brown

Pinc a choch ydi lliwiau ystafell wely Casi a Celt, gan mai hoff liw Casi ydi pinc, a'r lliw coch ydi ffefryn Celt. Mae yno wely grisiau, gyda Casi'n teyrnasu ar y top, a Celt yn gorweddian ar y gwaelod. Gyferbyn â'r gwely grisiau mae cwpwrdd dillad mawr pren, yn llawn dillad o bob math. Dillad llwyd, diflas i'w gwisgo i'r ysgol; dillad chwarae gyda thyllau yn y pengliniau; dillad smart; dillad parti; ac ym mhen draw eitha'r cwpwrdd, yn un rhesiaid lachar o sidan, plastig a phlu – y dillad gwisg ffansi!

Un diwrnod glawog, ar ôl i Casi a Celt ddod adref o'r ysgol, aeth y ddau ar frys i agor drysau'r cwpwrdd dillad led y pen, gan wthio popeth o'r neilltu er mwyn medru cyrraedd y dillad gwisg ffansi.

"Dwi am fod yn dywysoges heddiw!" meddai Casi.

"A heddiw dwi am fod yn fôr-leidr dewr yn morio'r dyfroedd gwyllt..." meddai Celt, gan dynnu patshyn du dros ei lygad. "Wyt ti angen imi dy achub di, dywysoges hardd?"

"Dim diolch, fôr-leidr dewr, ond mi gei di blethu fy ngwallt i tra dy fod yn aros am dy long..."

Ac felly y bu. Erbyn i Mam alw Casi a Celt at y bwrdd i gael eu swper, roedd Casi wedi gwisgo fel tywysoges, dawnswraig fflamenco a theigr, ac roedd Celt wedi smalio bod yn fôr-leidr ac yn ddyn tân.

"Casi! Celt! Dewch i lawr i gael eich bwyd!" galwodd Mam, a rhedodd y ddau i lawr y grisiau.

"Ydach chi wedi cadw'r dillad yn y cwpwrdd?" holodd Mam.

"Yym… mi wnawn ni wedyn, gaddo Mam" oedd yr ateb.

Ond ar ôl swper, roedd gan Casi a Celt waith cartref i'w wneud. Wedyn roedd rhaid bwydo'r bochdew. Ar ôl hynny, hanner awr o sblashio yn y bath, dewis pyjamas, cribo'u gwallt a chael stori ar y soffa gyda Mam. O'r diwedd, â'r ddau yn dylyfu gên mewn blinder, roedd hi'n amser dilyn Mam i fyny'r grisiau, cael cwtsh a chusan nos da cyn suddo'n fodlon i glydwch y gwely grisiau.

Cymylodd wyneb Mam braidd wrth iddi gamu i'r ystafell wely, a gweld y dillad gwisg ffansi yn un cwlwm blêr ar y llawr.

"Reit! Dwi wedi cael llond bol ar orfod gofyn i chi glirio ar eich olau bob nos. Os na fyddwch chi'n dysgu rhoi'r dillad yma i gadw, mi fydda i'n eu rhoi nhw yn y twll dan grisiau, a chewch chi mohonyn nhw o gwbwl. Ydach chi'n dallt?"

"Iawn Mam… sorri Mam…" meddai Casi a Celt fel deuawd.

"Da iawn," meddai Mam. "Rŵan, nos da i chi'ch dau, cysgwch yn dawel, ac mi wela i chi yn y bore."

Teimlai Casi a Celt yn annifyr braidd eu bod wedi anghofio cadw'u dillad gwisg ffansi unwaith eto, ac fe benderfynon nhw'n ddistaw bach y byddent yn siŵr o gadw eu hystafell wely'n daclus o hyn allan. Ac ar hynny, fe aethant i gysgu.

Ond nid Casi a Celt oedd yr unig rai a oedd wedi clywed Mam

yn dwrdio am y llanast yn yr ystafell wely.

Roedd rhywbeth yn symud yn y twmpath dillad ar ganol llawr yr ystafell wely. Edrychai'r lliw coch ar ffrog fflamenco Casi yn gochach nag arfer heno, a'r smotiau duon fel cymylau mewn storm. Yn sydyn roedd y ffrog fflamenco wedi codi, ac roedd hi'n dawnsio o amgylch yr ystafell wely fel petai ganddi goesau a breichiau a thempar ofnadwy!

"*Hola*! Gwenlli!" meddai Sofia, a'i llais yn groch. "Deffra! A chditha Giaman, ty'd!" Rhoddodd gic i'r dillad teigr a oedd ar dop y pentwr. Cododd Giaman y Teigr ei ben.

"Ydyn nhw'n cysgu?" gofynnodd y Teigr yn gysglyd.

"Ydyn," meddai Gwenlli'r Dywysoges, a oedd yn ysgwyd a thacluso sgerti sidan ei ffrog.

Disgynnodd stethosgop i'r llawr gyda chlec fach wrth i Beti Bochgoch y Meddyg godi'i hun o ganol gweddill y dillad.

Cododd Morgan y Môr-leidr a Sbarc y Dyn Tân gan daro yn erbyn ei gilydd wrth godi o'r llawr. Deffrodd Llawen y Clown hefyd a baglu i ganol y gweddill.

"Gwrandewch ar beth sydd ganddi i'w ddweud!" gorchmynnodd Gwenlli.

"Gwrandewch bawb, *por favor,*' meddai Sofia mewn llais clir. "Tra oeddech chi i gyd yn diogi ar y llawr heno, mi glywais i bethau dychrynllyd iawn gan fam Casi a Celt! Dywedodd hi ei bod yn flin iawn efo'r plant am beidio â'n rhoi ni'n ôl yn y cwpwrdd ar ôl gorffen chwarae efo ni..."

"Well gen i fod ar y llawr nag yn yr hen gwpwrdd llychlyd

yna..." meddai Morgan gan dorri ar draws.

"Hsssht!" meddai Gwenlli, a'i phryder yn amlwg.

"Ac fe ddwedodd hi," meddai Sofia'n ddiamynedd, "ei bod am ein cloi ni i gyd yn y twll dan grisiau, os na fydd Casi a Celt yn dysgu tacluso!"

"Yn yr hen dwll dan grisiau bychan yna? Mi fyddai hynny'n dipyn o wasgfa!" meddai Giaman y Teigr.

"Gyda'r holl bryfaid cop yna!" meddai Gwenlli'r Dywysoges yn ddagreuol.

"Ac awyr iach mor brin!" meddai Beti Bochgoch y Meddyg.

"A beth peten ni'n mynd yn sownd yna?" holodd Sbarc y Dyn Tân.

"Fyddwn ni ddim, oherwydd mae gen i gynllun," atebodd Sofia.

Ni chymerodd yn hir i Sofia esbonio'i chynllun wrth y dillad eraill, ac ar ôl gwneud yn siŵr bod Casi a Celt yn dal i gysgu'n sownd, fe aeth y saith dilledyn ati i weithredu.

Yn gyntaf, fe ddawnsiodd Sofia o amgylch yr ystafell, gan daflu addurniadau, lluniau creon, a dillad ysgol y bore wedyn i'r llawr.

Yna, fe aeth Gwenlli at frenin a brenhines y castell pren a'u gollwng, gyda'u dodrefn, blith draphlith ar ganol y llawr.

Defnyddiodd Sbarc ei beipen ddŵr i dynnu'r tedis i lawr o'r silff uwchben y ffenest, nes eu bod yn rowlio i bob cyfeiriad. Taflodd Beti Bochgoch gynnwys ei bag meddyg ar hyd y carped. Dringodd Giaman i ben y ddesg, gan gnoi pensiliau a rwberi, a chwyrlïo gwaith cartref Casi a Celt ar hyd y lle. Tasgodd parot cynhyrfus Morgan y Môr-leidr ei blu dros bopeth.

Chwiliodd Llawen y Clown ymhob twll a chongl nes canfod dwsin a mwy o beli o bob maint a phob lliw, ac er iddo drio'i orau i'w jyglo, fe aeth y peli i bob man, gan sboncio oddi ar y waliau a setlo yma ac acw o gwmpas yr ystafell wely. Yn wir, fe laniodd un bêl fach yn dwt rhwng dwy lygad cysglyd Casi, a oedd yn breuddwydio'n braf ar dop y gwely grisiau...

"Gwyliwch!" gwaeddodd Sofia. "Brysiwch! Mae hi'n deffro! 'Nôl â ni i'r cwpwrdd! *Adiós*, ffrindiau, a *buenas noches*!"

Deffrodd Casi a chodi ar ei heistedd yn y gwely, gan danio'r golau bach a oedd yn sownd wrth ochr y gwely grisiau. Rhwbiodd ei llygaid yn araf, wrth fyseddu'r belen fach sbwng a'i trawodd ar ei thalcen. O ble ddaeth hon, meddyliodd – bu'r bêl fach goch o'r set tenis bwrdd ar goll ers tro; wedi mynd i ganol y llanast, meddai Mam.

Ond fe agorodd Casi ei llygaid led y pen wrth iddi sylwi ar y

llanast ofnadwy oedd ar hyd ei hystafell wely!

"Celt! Celt! Deffra!" meddai, gan ei ysgwyd o'i gwsg.

"Edrych ar y llanast 'ma – rhaid i ni glirio cyn i Mam ei weld!"

Roedd Celt wedi dychryn hefyd.

Gweithiodd y ddau yn ddiwyd, heb ddweud yr un gair bron iawn, ac erbyn saith o'r gloch y bore, roedd yr ystafell binc a choch fel pin mewn papur. Neidiodd Casi a Celt yn ôl o dan y cynfasau wrth iddynt glywed traed Mam yn camu'n ysgafn ar hyd y landin.

"Bore da chi'ch dau, sut noson gawsoch chi?"

"Ym, iawn diolch Mam, a chithau?"

"Mi gysgais i'n dda diolch iti Casi, a dwi'n hapus iawn bore 'ma i weld eich bod chi wedi cadw'r dillad gwisg ffansi a thacluso hefyd. Da iawn chi!"

Gwenodd Casi a Celt ar Mam, ac aeth hithau lawr grisiau i ddechrau paratoi brecwast. Edrychodd y ddau ar ei gilydd.

"Beth yn y byd ddigwyddodd neithiwr?" holodd Casi.

"Dydi'r ystafell yma erioed wedi bod mor flêr, ond nid ni oedd yn gyfrifol am y llanast!" meddai Celt.

"Y cwbwl wnaethon ni oedd gadael ein dillad gwisg ffansi ar y llawr..." meddai Casi'n feddylgar.

"Ond... pan glirion ni'r llanast bora 'ma..." edrychodd Casi a Celt ar ei gilydd. Gwawriodd y gwir arnynt ar yr un pryd.

"... roedd y dillad gwisg ffansi yn ôl yn y cwpwrdd yn barod!"

"Ond sut...?" gofynnodd Celt a'i ddwylo'n chwysu.

"A pham...?" holodd Casi, gan droelli cudyn o'i gwallt.

Ac yn y distawrwydd cynhyrfus, fe agorodd ddrws y cwpwrdd dillad gyda gwich, a disgynnodd un esgid goch, sgleiniog ar y carped, gan fflachio ar y brawd a chwaer yng ngolau'r haul cynnar...

Mae Casi a Celt yn dal i bendroni am y llanast ar lawr yr ystafell wely. Ond mae un peth yn sicr – mae'r ystafell wely binc a choch yn daclus erbyn hyn, a'r dillad gwisg ffansi'n cael eu cadw bob nos cyn amser gwely. Dydi Casi a Celt byth isho gweld llanast fel'na eto, heb sôn am orfod ei glirio!

YN SOWND MEWN STORI

Angharad Tomos

Roedd Bili wrth ei fodd efo straeon. Doedd dim digon ohonynt i'w cael. Y peth cyntaf a wnâi wedi deffro ei fam yn y bore oedd crefu arni, "Ga i stori?", a'r peth olaf a ofynnai i'w dad cyn cysgu oedd "Ga i stori arall?" Drwy'r dydd, byddai'n edrych ar ei lyfrau stori, byddai'n mynd o gwmpas yn holi pobl am straeon ac yn crefu ar ei athrawes am un stori ar ôl y llall. Yn wir, roedd Mrs Huws ei athrawes wedi cael digon.

"Bili! Rydw i wedi cael llond bol, ydw wir. Does dim i'w gael gennyt drwy'r dydd ond stori, stori, stori!"

Edrychodd Bili arni mewn syndod. Ond roedd yn wir. Doedd o ddim yn medru cael digon o straeon. Pe gallai ddarllen ei hun, fyddai o ddim yn gorfod trafferthu neb. Byddai'n symud i fyw i'r llyfrgell, cael cornel fach iddo'i hun ac yn treulio'i holl amser yn darllen. Ond tan y byddai'n gallu darllen, roedd yn rhaid iddo ofyn i eraill am straeon. Dyna oedd yn gwneud bywyd yn werth ei fyw.

"Bili Breuddwydiwr!" gwaeddodd Mrs Huws un diwrnod, wrth geisio cael Bili i ddeall sut oedd cyfrif. "Roeddet ti 'mhell i ffwrdd yn awr. Beth ddywedais i?" Roedd wyneb Mrs Huws yn fflamgoch.

Doedd gan Bili ddim syniad am beth oedd Mrs Huws yn sôn. Roedd ei feddwl ymhell i ffwrdd yng Ngwlad y Straeon. Roedd o wedi cael stori newydd sbon gan ei fam y diwrnod hwnnw, ac ni allai ddychmygu sut y byddai'r stori'n gorffen.

"Wel, Bili?" gofynnodd Mrs Huws yn flin.

"Wn i ddim, Mrs Huws. Wn i ddim am beth oeddech chi'n sôn."

Chwarddodd plant y dosbarth i gyd, a gwylltiodd Mrs Huws yn fwy fyth.

"Allan â chi, Bili – ac arhoswch allan tan ddiwedd y wers. Dydw i ddim eisiau'r fath fachgen yn fy nosbarth!"

Peidiodd y plant â chwerthin wrth wylio Bili'n mynd allan yn drist. Doedd ganddo mo'r help. Roedd Bili'n ddiniwed iawn. Fyddai o byth yn achwyn nac yn ffraeo efo'r plant eraill. Ni ddywedai air o'i ben. Roedd ei ben yn y cymylau y rhan fwyaf o'r amser, ond roedd y plant i gyd yn hoff ohono.

Cerddodd Bili allan drwy ddrws yr ysgol ac i'r cae yn y cefn. Aeth yn ei flaen drwy'r giât fechan a dechrau cerdded ar hyd y ffordd oedd yn arwain i'r mynydd. Yno, roedd bachgen bach yn crio. Fel rheol, ni fyddai Bili'n torri gair â neb, am ei fod yn llawer rhy swil, ond roedd o'n teimlo trueni dros y bachgen bach trist.

"Rydw i ar goll," meddai'r bachgen bach yn ofnus. "Gadawodd fy rhieni fi yn y goedwig, a thorrais ddarnau bach o fara i gofio'r ffordd yn ôl, ond mae'r adar wedi bwyta'r bara i gyd. O diar, be wna i?"

Roedd Bili'n gyfarwydd â stori'r bachgen, roedd ei nain wedi'i hadrodd iddo sawl gwaith. Er ei bod yn swnio'n stori drist, roedd yn gorffen yn hapus.

"Paid ti â phoeni, fachgen bach," meddai Bili'n glên. "Rhai tlawd ydi dy rieni, ond dydyn nhw ddim am i ti a'th frodyr aros yn y goedwig am byth." Peidiodd y bachgen â chrio.

"Os ei di yn dy flaen, mi ddoi at gastell cawr, a chei antur fawr. Byddi'n dwyn esgidiau'r cawr, ac fe gei lawer o arian gan y brenin. Yn y diwedd, byddi'n gyfoethog a chei fynd yn ôl i fyw at dy rieni, a fyddwch chi byth yn dlawd eto."

Edrychodd y bachgen bach ar Bili. "O, fe garwn i pe gallwn ymddiried ynoch chi," meddai, a'i lygaid yn llawn dagrau.

"Dwi'n dweud y gwir," atebodd Bili. "Rwyt ti'n sownd mewn stori, ond mae iddi ddiwedd hapus."

Rhedodd y bachgen bach yn ei flaen yn ysgafndroed, ac aeth Bili yn ei flaen i'r goedwig. Ymhen tipyn, daeth ar draws tŷ rhyfeddol – tŷ wedi'i wneud o bob math o wahanol dda-da, ac un lliwgar dros ben. Y tu allan, roedd bachgen a merch ar fin dwyn un o'r da-da. Bu bron iddynt lewygu yn y fan a'r lle pan welsant Bili.

"Wyt ti eisiau blasu darn o'r tŷ?" holodd y ferch, a'i llygaid yn disgleirio. "Cymer ddarn o'r giât yma – giât siocled ydi hi."

Byddai Bili wedi rhoi unrhyw beth am ddarn mor fawr o siocled, ond ysgwyd ei ben wnaeth o.

"Plentyn ddim yn hoffi siocled?" gofynnodd y bachgen, yn methu'n deg â chredu ei lygaid.

"Rydw i wrth fy modd efo siocled," atebodd Bili, "ond fyddwn i ddim yn ei fwyta dros fy nghrogi. Mi rydw i'n digwydd gwybod pwy sy'n byw yn y bwthyn."

Llowciodd y plant y siocled a dechrau bwyta'r blodau siwgr gerllaw.

"Gwrach sydd yno" meddai Bili. "Bydd yn eich hudo i mewn i'r tŷ, yn eich cau mewn cawell ac yn bygwth eich bwyta."

Roedd llygaid y plant fel soseri.

"Dyma hi ar y gair" meddai Bili, wrth weld het y wrach yn dod i'r golwg.

"Beth wnawn ni?" gofynnodd y ferch.

"Bydd yn ceisio eich gorfodi i fwyta," meddai Bili, oedd yn gwybod y stori air am air. "Cymerwch chi ofal rhag bwyta gormod, a phan gewch eich gadael allan o'r cawell, byddwch yn chwim a gwthiwch yr hen wrach i'r popty – dyna'ch unig obaith."

"Diolch am eich cyngor," meddai'r bachgen.

"Popeth yn iawn," meddai Bili. "Rydych chi'n sownd mewn stori, ond mae'n gorffen yn hapus." Roedd Bili'n falch erbyn hyn ei fod wedi dangos y fath ddiddordeb mewn straeon.

Aeth yn ei flaen ar hyd y llwybr.

Ymhen hir a hwyr, eisteddodd i lawr wrth fonyn coeden. Y fath anturiaethau a gafodd! Doedd ryfedd ei fod wedi blino. O na ddeuai tylwyth teg o rywle a chynnig gwledd iddo. Bu'n pendwmpian am dipyn. Pan ddeffrodd, clywodd fiwsig peraidd – nodau ysgafn ffliwt ydoedd, yn dod yn nes ac yn nes. Ymhen tipyn, gwelodd Bili ŵr anghyffredin yr olwg yn mynd heibio. Doedd o ddim yn perthyn i'r oes honno – roedd ei ddillad fel dillad rhywun mewn stori. Gwisgai wisg lachar werdd ac oren, ac am ei ben yr oedd cap â phluen ynddo. Y peth a ddenai lygaid Bili fwyaf oedd y clogyn a wisgai – clogyn o glytiau amryliw, ac ni allai dynnu ei lygaid oddi arno. Roedd pob math o liwiau a phatrymau yn y clogyn, ac roedd yn siŵr

ei fod yn un hudol. Canu'r ffliwt a wnâi'r dyn, a'i ben yn plygu o'r
naill ochr i'r llall wrth symud i rythm yr alaw. Teimlai Bili ei hun
yn sefyll, a mwyaf sydyn roedd arno eisiau cerdded, eisiau rhedeg,
eisiau dawnsio a dilyn y gŵr hwn i ba le bynnag yr âi. Y tu ôl
iddo roedd tyrfa o blant, pob un yn hapus yr olwg ac eisiau dilyn
y gŵr â'r ffliwt hudol. Nid oedd yn adnabod yr un o'r plant, ond

roedd o eisiau bod gyda hwy – eisiau bod yn rhan o'r dorf hudol
oedd yn benderfynol o ddilyn y dewin.

Yn ôl yn y dosbarth, rhoddodd Mrs Huws y llyfr straeon i lawr, a
gorffen y stori.

"Ac yn wir i chi, ni ddaeth yr un o'r plant yn ôl. O oeddent,
roedd pobl y pentref yn falch fod y Pibydd Brith wedi cael gwared
ar y llygod yn Llanfair y Llin, ond pan ddychwelodd y Pibydd ac
arwain holl blant y pentref i ffwrdd, ni wyddai'r rhieni beth i'w
wneud. Sefyll yno a wnaethant, yn gwylio eu plant yn myned
ymaith wrth iddynt orfod dawnsio i alaw hudolus y Pibydd."

Gwisgodd y plant eu cotiau, dweud y fendith a sefyll yn un rhes
yn barod i fynd adref. Roeddent wedi mwynhau'r stori, ond fe
wyddent am un plentyn o'r dosbarth fyddai wedi'i mwynhau yn
fwy na neb. Bili Breuddwydiwr oedd hwnnw, ond ni chafodd gyfle
i glywed y stori. Wrth fynd allan, roedd pawb yn edrych ymlaen at
weld Bili er mwyn cael adrodd y stori iddo yntau hefyd gael ei
chlywed. Ond doedd dim siw na miw o Bili. Gwaeddodd Mrs
Huws ei enw, ond yn ofer. Roedd Bili wedi diflannu. . .

Y bore canlynol, doedd dim golwg o Bili o hyd. Mae rhai yn
credu ei fod yn sownd mewn stori, ac yn methu'n lân â dod allan
ohoni.

YR AFAL OLAF UN

Elin Meek

Roedd Caleb yn dwlu ar yr ardd. Roedd e'n dwlu ar chwarae ar y lawnt.

Dim ond un goeden oedd yn yr ardd, ond dyma hoff beth Caleb yn yr ardd i gyd. Coeden afalau fawr oedd hi.

Yn y gaeaf, roedd canghennau'r goeden yn dywyll ac yn noeth. Pan oedd hi'n rhy oer a gwlyb i fynd allan, roedd Caleb yn hoffi edrych arni drwy'r ffenest dan grynu.

"Y goeden afalau druan! Mae'n siŵr ei bod hi'n rhynnu," meddai Caleb.

Roedd y gaeaf yn hir, hir. Weithiau byddai'n bwrw eira, a byddai haen denau o eira ar ganghennau'r goeden afalau. Roedd hi'n edrych yn hardd iawn, ond doedd Caleb ddim yn hapus chwaith. Roedd e'n ysu am y gwanwyn. "A ddaw'r gwanwyn byth, tybed?" meddyliodd.

O'r diwedd, dechreuodd y dyddiau ymestyn. Roedd canghennau'r goeden afalau yn dal yn dywyll ac yn noeth.

Ond un diwrnod braf yn y gwanwyn, dechreuodd blodau pinc golau ymddangos ar y canghennau. Dim ond un neu ddau i ddechrau. Yna'n sydyn, dyma'r goeden afalau'n goleuo – yn flodau hardd drosti i gyd. Roedd Caleb wrth ei fodd.

Roedd y gwenyn a'r holl bryfed eraill wrth eu bodd hefyd. Daethon nhw i ymweld â'r blodau, i sugno'r neithdar ac i gario paill o'r naill flodyn i'r llall.

Cyn hir, dechreuodd petalau'r blodau syrthio o'r goeden. Roedd hi'n edrych fel petai hi'n bwrw eira.

Ymhen rhai wythnosau, aeth Caleb i edrych yn fanwl ar y goeden. Gallai weld bod afalau bach gwyrdd yn ymffurfio lle roedd y blodau'n arfer bod.

Yn ystod yr haf, bu Caleb yn chwarae ar y lawnt. Daeth Dad i'w ddysgu sut i ddal pêl yn iawn. Roedd Dad yn ei thaflu, ond roedd Caleb yn ei gollwng o hyd.

"Dere nawr, Caleb, cadw dy lygad ar y bêl," meddai Dad. Edrychodd Caleb yn graff ar y bêl. Estynnodd ei freichiau... a chau ei ddwylo'n dynn amdani. O'r diwedd, roedd e wedi dysgu sut i ddal pêl yn iawn! Bu Dad yn taflu'r bêl a Caleb yn ei dal drwy'r prynhawn.

"Da iawn ti!" meddai Mam a Dad.

Bob hyn a hyn yn ystod yr haf, byddai Caleb yn mynd i edrych ar y goeden afalau. Rhai bach oedd yr afalau o hyd. Roedd Caleb yn ddiamynedd. Roedd e eisiau i'r afalau dyfu'n gyflym er mwyn iddo allu eu bwyta.

Un diwrnod ar ddiwedd yr haf, sylwodd Caleb fod rhai o'r afalau gwyrdd yn troi'n goch braf.

"Fydd hi ddim yn hir cyn y caf i eu bwyta nhw," meddyliodd.

Dechreuodd Dad daflu'r bêl yn uwch ac yn uwch i'r awyr.

"Cadw dy lygad ar y bêl," meddai Dad. "Rheda ati a'i dal hi."

Cyn hir roedd Caleb yn cael hwyl arni.

"Da iawn ti!" meddai Mam a Dad.

O'r diwedd, un diwrnod yn yr hydref, daeth tad Caleb ag afalau o'r goeden. Claddodd Caleb ei ddannedd yn un o'r afalau. Roedd e'n flasus tu hwnt.

"Diolch i ti, goeden afalau!" meddai Caleb.

Yn ystod yr hydref roedd hen ddigon o afalau i'w bwyta.

Gallai Caleb bigo rhai o'r canghennau isaf.

Gallai Dad gyrraedd rhai ar y canghennau uchaf.

Dringodd Mam yr ysgol fach i godi'r rhai ger brig y goeden.

Bu'r mwyalch a'r jac-y-dos yn pigo rhai o'r afalau.

Cyn hir roedd pob afal wedi'i fwyta – pob un ond un.

Roedd un afal ar ôl o hyd, ar frig eithaf y
goeden. Afal mawr coch hyfryd oedd e. Roedd yn
tynnu dŵr o ddannedd Caleb.

Ond allai Mam mo'i gyrraedd, ddim hyd yn oed
ar yr ysgol fach.

"Sut alla i gyrraedd yr afal olaf un?" meddyliodd

Caleb. "Dwi ddim eisiau i'r adar ei fwyta. Efallai y gallaf siglo'r
goeden tan iddo gwympo."

Bu Caleb yn gwthio a thynnu nes ei fod yn chwys diferu. Ond
roedd y goeden yn llawer rhy gadarn a symudodd hi ddim.

"Efallai y gallaf ddringo i'w nôl e," meddyliodd Caleb.

Ond aeth Caleb yn sownd hanner ffordd i fyny'r goeden a bu'n
rhaid i Mam ei achub.

"Fe gicia i fy mhêl i fyny a gweld a fydd hi'n gallu bwrw'r afal i
lawr," meddyliodd Caleb. Tarodd y bêl frig y goeden, ond
symudodd yr afal olaf un ddim. Yna aeth y bêl dros y clawdd i'r
ardd drws nesaf. Doedd Mr Williams ddim yn hapus o gwbl.

Yn ystod y nos, cafodd Caleb freuddwyd am yr afal olaf un.

Breuddwydiodd am wneud pâr o adenydd a hedfan i fyny i'w nôl.

Ond yn y bore, roedd yr afal olaf un yn dal yno, yn edrych yn goch ac yn flasus tu hwnt.

Roedd Caleb yn dechrau poeni. Roedd dail y goeden yn dechrau troi eu lliw o wyrdd i felyn a brown golau. Gallai'r afal olaf un bydru ar y goeden.

"Beth wna i?" meddyliodd Caleb.

Safodd Caleb o dan ganghennau'r goden afalau, yn gwylio'r dail yn dechrau cwympo. Edrychodd i fyny ar yr afal olaf un. Roedd yn edrych mor unig.

Yna'n sydyn, cododd y gwynt. Dechreuodd y canghennau ysgwyd. Edrychodd Caleb yn graff ar yr afal olaf un. Gwelodd yr afal yn symud.

"Mae'r afal yn cwympo!" meddyliodd. "Rhaid i mi geisio ei ddal."

Cadwodd Caleb ei lygad ar yr afal a rhedeg tuag ato.

Roedd y canghennau'n ysgwyd yn wyllt, ond cadwodd Caleb ei lygad ar yr afal o hyd. Estynnodd ei freichiau a chau ei ddwylo amdano'n dynn. Roedd e wedi llwyddo i ddal yr afal olaf un!

"Da iawn ti!" meddai Mam a Dad. "Cei di ei fwyta fe nawr!"

Claddodd Caleb ei ddannedd yn yr afal. Ac O! Dyna'r afal mwyaf blasus a gafodd erioed!

GEIFR BACH GWIRION Y GARN

Myrddin ap Dafydd

'"Mam!" gwaeddodd un o hogiau bach y pentref, gan redeg o'r ardd am y tŷ. "Mae'r geifr wedi bod yn cornio ein pêl-droed ni yn y cae chwarae yn ystod y nos – ac mae 'na dwll ynddi hi!"

"O! Hen gnafon ydi'r geifr," meddai ei fam o'r tŷ. "Hen bryd iddyn nhw fynd yn ôl i Hafod Naid ar ben y Garn am yr haf."

* * *

"Beryl!" cwynodd Twm Tatws Cynnar wrth ei wraig. "Mae'r geifr goblyn wedi bod yma yn y nos ac wedi bwyta fy mhlanhigion mefus i! Pob un!"

* * *

"O! Musus Morus bach!" meddai'r pennaeth ar fuarth yr ysgol. "Mae geifr bach gwirion y Garn wedi bod yma o'n blaenau eto'r bora 'ma ac wedi byrstio cartonau llaeth y plant nes bod y buarth yn un llyn mawr gwyn!"

* * *

Roedd hi'n fore arall yn Hendre Hir, cartref gaeaf geifr y Garn. Chwyrnu cysgu oedd hanes Gwyndaf Gafr, y tad, â'i ben ar goll yng nghanol ei farf a diogi'n gynnes braf hefyd wnâi Gwenno Gafr, y fam, dan y cwilt o redyn coch.

Roedd y geifr bach – Gruffudd, Gwyneth a Gari – yn cadw reiat ac roedd eu nain, Glenys Gafr, yn ceisio cadw trefn arnyn nhw.

"Gruffudd! Tyrd i lawr o ben y cwpwrdd bwyd!" dwrdiodd Glenys. "Na! Nid drwy hongian wrth y trawst a sleidio i lawr y llenni!"

Rhy hwyr – dyma Gruffudd yn hofran, hongian, neidio a sleidio a glanio â'i gyrn rhwng ei gynffon wrth draed ei nain.

"Gwyneth! Dyna'r bedwaredd bowlen o geirch poeth rwyt ti wedi'i chodi i ti dy hun – ac mae gweddillion y tair arall ar hyd dy

wyneb di. Mae'r sach flawd yn wag – wn i ddim beth gewch chi i frecwast fory, wir. A Gari, mae un o dy sanau di ar goll ac rwyt ti wedi gwisgo dy esgid ôl dde am dy droed blaen chwith!"

Druan o Glenys Gafr – doedd hi ddim yn waith hawdd bod yn nain i'r geifr bach bywiog. Roedd Gwyndaf, y tad, yn dal i chwyrnu a Gwenno yn ei breuddwyd dawel o dan y rhedyn o hyd.

"Gwyndaf! Gwenno!" galwodd Glenys. "Mae'r geifr bach yma yn hollol ddireol. Oes 'na olwg eich bod chi am godi i'w taclo nhw?"

Agorodd Gwenno un llygad bach ac ateb yn araf:

"Fedrwch chi agor y drws i'w gollwng nhw'n ôl allan, Nain?"

"Ffwrdd â chi!" meddai Glenys wrth y tri bychan. "A pheidiwch â gwneud dim lol o gwmpas y pentref."

Gwyliodd y tri yn twlcio'i gilydd, yn codi ar eu coesau ôl a charlamu'n wyllt o graig i graig.

Roedd un llygad Gwenno Gafr wedi cau'r eilwaith ac roedd yn llusgo'n ôl i gwsg melys.

"Reit! Dwi wedi cael digon!" meddai Glenys Gafr mewn llais cryf. "Dwi'n mynd i Hafod Naid fy hun!"

Agorodd Gwenno ei dau lygad. Stopiodd Gwyndaf chwyrnu.

"Hafod Naid, Glenys?" holodd Gwenno.

"Ie," oedd yr ateb pendant.

"Ond… ond… mae'r llwybr yn serth…" Pesychodd Gwyndaf i gael gwared â'r blew barf o'i geg. "Ac mae hi'n daith hir… a beth bynnag, mae niwl a thywyllwch y gaeaf…"

"Awyr las sydd uwchben heddiw," atebodd Glenys.

"Ond yn y gwanwyn fyddwn ni'n mynd i Hafod Naid," dadleuodd Gwenno.

"Mae'r gog wedi canu ers tair wythnos…" meddai Glenys.

"Twt, dydi honno ddim yn gwybod os ydi hi'n mynd neu'n dod," wfftiodd Gwyndaf.

Mae plant yr ysgol yn paratoi i fynd i Eisteddfod yr Urdd," ychwanegodd Glenys. Mae'r haf ar ei ffordd – dwi'n mynd i Hafod Naid."

"Ond mi fydd yna waith glanhau'r lle a hwnnw wedi bod yn wag drwy'r gaeaf," oedd sylw Gwenno.

"Ac mi fydd y tri bach 'na dan draed, yn llond llaw," ychwanegodd Gwyndaf.

"Dydyn nhw ddim yn dod gyda mi," meddai Glenys yn bendant.

"Ddim… ddim…?" Tro Gwyndaf oedd codi ar ei eistedd bellach.

"Ond pwy… pwy…?" poenai Gwenno.

"Nid y fi," atebodd Nain. "Y fi sydd wedi'u gwisgo nhw, rhoi bwyd iddyn nhw a chadw trefn arnyn nhw drwy'r gaeaf. Wel, mae'n fis Mai. Dwi ar streic!"

Crafodd Gwyndaf ei farf gyda'i goes ôl a chododd ar ei draed. Edrychodd allan drwy'r ffenest gan ymestyn ei gorff yn araf i fwrw

cwsg o'i gymalau.

"Mae copa'r Garn yn hollol glir heddiw, Gwenno," meddai toc.

"Efallai fod hi'n amser inni feddwl am ei throi hi i fyny yna," atebodd Gwenno, gan ddod i sefyll wrth ochr ei gŵr.

"Dyna ydi'r hen drefn gennym ni'r geifr," meddai Glenys. "Dod i lawr i'r Hendre Hir dros y gaeaf ac yna mynd i fyny unwaith eto i greigiau uchel Hafod Naid pan ddaw hi'n fis Mai."

"Well imi ddechrau meddwl am bacio 'ta," meddai Gwenno.

Ar hynny, clywyd sŵn brefu cyffrous ar lwybr Hendre Hir. Drwy'r ffenest, gallai Gwyndaf weld y tri gafr bach yn gwibio fel mellt am y tŷ a golwg wedi dychryn arnyn nhw braidd.

Agorodd y drws gyda chlec yn erbyn y wal.

"Twm Tatws Cynnar ar ein holau efo pastwn!" meddai Gwyneth â'i gwynt yn ei dwrn.

"Dyn blin, blin!" oedd yr unig eiriau y medrai Gari grynedig eu dweud.

"Be ddigwyddodd?" holodd Gwenno.

"Wnes i ddim ond mynd i mewn i'w dŷ gwydr o i weld os oedd o wedi plannu ei domatos," meddai Gruffudd mewn llais diniwed.

"Ie, a dod allan wysg dy gyrn drwy'r gwydr!" gorffennodd Gwyneth y stori.

"Roedd y drws wedi cau!" ceisiodd Gruffudd amddiffyn ei hun. "A doeddwn i'n methu gweld pa un oedd y ffordd allan…"

"Twll mawr, mawr yn y tŷ gwydr," meddai Gari.

"Reit, mae'n amser!" cyhoeddodd Gwyndaf gydag awdurdod yn ei lais. "Mae'n bryd inni ei throi hi am Hafod Naid a'ch dysgu chi sut i dyfu o fod yn eifr bach gwirion i fod yn eifr mawr call. 'Dan ni'n gadael mewn tri munud."

"Ydi, mae'r gaeaf cysglyd drosodd," meddai'r fam. "'Nôl at wyneb y graig rŵan – gwersi dringo gofalus; gwersi bwyta glaswellt clogwyni sy'n rhy uchel i'r defaid; gwersi osgoi llwynogod…"

"A gwersi bwyta a gwisgo'n daclus a chodi'n gynt yn y bore," ychwanegodd Glenys.

"Ro'n i'n meddwl eich bod chi ar streic?" oedd sylw Gwenno.

"A cholli hwyl yr Ysgol Haf ar ben y mynydd?" gofynnodd y nain. "Callia wnei di. Yr olaf i ben Clogwyn Garw sy'n gorfod hel y rhedyn ar gyfer y gwlâu heno. Un, dau, tri – i ffwrdd â ni!"

Gan gicio'i choesau ôl i'r awyr, rhoddodd Glenys Gafr sbonc i'r awyr a mynd ar wib wyllt am lwybr y mynydd. Tasgodd y cerrig mân o dan ei thraed a brefodd yn uchel dros y wlad wrth neidio o graig i graig.

"Does dim rhyfedd fod Gruffudd ni yn un gwirion," meddai Gwyneth. "Pa obaith sydd iddo â nain fel'na ganddo fo?"

Dilynodd y geifr bychain eu nain. Trodd Gwenno a Gwyndaf i'w

dilyn hwythau, yn meddwl am y tymor o'u blaenau.

Ymhell oddi tanynt, i lawr yn y pentref, clywodd gŵr mewn gardd y fref ar lwybr y mynydd.

"Diolch byth!" meddai Twm Tatws Cynnar. "Mae geifr bach gwirion y Garn yn mynd i'r creigiau uchel dros yr haf. Mi gawn ni wyliau bach rŵan."

Ac aeth i chwilio am ei gadair gysgu i'w gosod dan flodau'r goeden afalau.

ALBI A'R GWIWEROD

Haf Llewelyn

Un prysur oedd Albi. Roedd wrthi bob awr o'r dydd yn clirio a thacluso, yn tocio ac yn trwsio. Albi oedd gofalwr y Llannerch Arian.

Roedd heddiw'n ddiwrnod arbennig oherwydd heno roedd y corachod i gyd am gael gwledd. Roedden nhw'n cael gwledd bob blwyddyn i ddathlu bod y cnau a'r mwyar a'r mes wedi'u casglu a'u cadw'n ddiogel at y gaeaf. Ond eleni roedd y wledd yn un arbennig iawn – i ddathlu bod rhywun pwysig wedi dychwelyd i fyw atynt. O'r diwedd, ar ôl bod yn crwydro ymhell bell oddi cartref, roedd Cochan a Cochyn a'u teulu o wiwerod coch wedi dod 'nôl i fyw i'r coed o gwmpas y Llannerch.

Albi oedd yn gyfrifol am drefnu'r wledd groesawu arbennig. Gan mai fo oedd y gofalwr, ei waith ef oedd addurno'r Llannerch a'i gwneud yn hardd ar gyfer y wledd. Felly aeth Albi ati'n syth i lunio rhestr. Dyma restr Albi:

1. Casglu'r dannedd gwynnaf
2. Dewis y dail harddaf
3. Lapio'r gwe pry cop taclusaf
4. Casglu'r dafnau glaw disgleiriaf
5. Gwneud rhuban o'r enfys hiraf

Edrychodd Albi ar ei restr ac ysgwyd ei ben yn drist. Er nad oedd ond pum peth ar ei restr, roedd pob un o'r pum peth yn waith caled iawn i un corrach bach ar ei ben ei hun.

Hoeliodd Albi'r rhestr ar ddrws ei fwthyn bach. Rhoddodd ei sbectol ar ei drwyn, "Hm..." meddai, gan ddarllen y geiriau'n uchel, *"casglu'r dannedd gwynnaf."*

Torchodd ei lewys, rhoddodd ei welingtons anweledig am ei draed, taflu'r sach ar ei gefn, llenwi ei bocedi gyda darnau arian ac i ffwrdd â fo. Doedd Albi ddim wedi sylwi fod pedair llygad fach ddu'n gwylio.

Bu Albi'n dringo trwy ffenestri ac yn chwilio dan obennydd am oriau. Pan gyrhaeddodd yn ôl i'r Llannerch Arian, dim ond deg dant oedd ganddo yn ei sach, a dim ond pump ohonyn nhw oedd yn wyn a glân. Roedd wedi meddwl eu defnyddio i adeiladu sedd wen ddisglair i'r gwiwerod gael eistedd arni.

"O diar," ochneidiodd yn drist wrth roi'r pum dant gwyn, glân yn y gist fawr. "Does gen i ddim digon yn fan hyn i wneud dim!"

Rhoddodd ei sbectol ar ei drwyn ac edrych ar y rhestr ar ddrws ei fwthyn bach.

"Hm..." meddai gan ddarllen yn uchel, *"dewis y dail harddaf."*

Torchodd ei lewys, gafaelodd yn ei gribin gryfaf, taflu'r sach ar ei gefn ac i ffwrdd â fo. Ni sylwodd fod pedair clust fach goch yn gwrando arno yng nghanol y dail.

Llusgodd Albi ei sach yn flinedig i ganol y goedwig. Er chwilio a chwalu, dim ond dail crin, brown, budr oedd i'w gweld ar lawr y goedwig. Llwyddodd i gasglu wyth deilen goch oddi ar y goeden ffawydd ac adre â fo'n ddigalon. Wedi edrych yn ofalus, roedd tyllau malwod ar bedair ohonynt. Roedd o wedi meddwl defnyddio'r dail coch lliwgar i wneud carped trwchus i'r gwiwerod gael rhoi eu traed arno.

"O diar," ochneidiodd yn ddigalon wrth roi'r pedair deilen goch yn y gist fawr. "Does gen i ddim digon yn fan hyn i wneud dim!"

Rhoddodd ei sbectol ar ei drwyn ac edrych ar y rhestr ar ddrws ei fwthyn bach.

"Hm..." meddai gan ddarllen yn uchel, *"lapio'r gwe pry cop taclusaf."*

Torchodd ei lewys, rhoddodd siswrn miniog yn ei boced, taflu'r sach ar ei gefn ac i ffwrdd â fo. Ni welodd y ddau drwyn bach du'n snwffian yn fusneslyd y tu ôl i'r llwyn.

Ond O! Pan gyrhaeddodd Albi Goed y Gwe, dim ond chwe darn o we pry cop oedd ar ôl, ac wedi iddo edrych yn ofalus, roedd tyllau mawr hyll mewn tri ohonynt. Roedd o angen y gwe i wneud llenni arian i'w hongian yn y llannerch. Aeth yn ôl i'r bwthyn yn benisel.

"O diar," ochneidiodd yn drist wrth roi'r tri gwe pry cop yn y gist. "Does gen i ddim digon yn fan hyn i wneud dim!"

Rhoddodd ei sbectol ar ei drwyn ac edrych ar y rhestr ar ddrws ei fwthyn bach.

Darllenodd yn uchel, *"Casglu'r dafnau glaw disgleiriaf."*

Torchodd ei lewys, aeth i nôl ei rwyd dal dafnau, taflodd ei sach ar ei gefn ac i ffwrdd â fo, heb weld y pedair pawen fach yn llamu heibio i gornel y bwthyn.

Brasgamodd i gyfeiriad y goeden rosod lle arferai'r dafnau glaw hongian wedi cawodydd y nos. Edrychodd yn syn – dim ond pedwar dafn disglair o law oedd ar ôl ar y brigau. Roedd wedi bwriadu eu hongian wrth linyn o un goeden i'r llall fel lampau.

"O diar," ochneidiodd Albi'n benisel wrth roi'r dafnau yn ei gist. "Does gen i ddim digon yn fan hyn i wneud dim!"

Sut yn y byd roedd o'n mynd i addurno'r Llannerch Arian rŵan? Roedd ei gist fawr bron yn wag.

Rhoddodd ei sbectol ar ei drwyn ac edrych ar y rhestr ar ddrws ei fwthyn bach a darllen: *"gwneud rhuban o'r enfys hiraf."*

Er ei fod wedi blino'n lân, torchodd ei lewys ac aeth i'r sied i nôl ei ysgol. Roedd Albi'n benderfynol o gael rhuban amryliw i wneud baneri i'w chwifio uwchben y Llannerch Arian. Roedd Albi druan yn teimlo'n ddigalon iawn, roedd popeth yn mynd o chwith.

Ni sylwodd fod dwy gynffon flewog goch yn diflannu heibio i gornel y bwthyn bach, a dwy wiwer fach yn chwerthin y tu ôl i'w pawennau.

Cerddodd Albi'n benisel a bu bron iddo beidio â gweld arwydd ar y goeden dderw yn dweud:

Dewch i weld yr enfys

hiraf yn y byd. Ffordd hyn! ☞

"Wel, wel, yr union beth!" meddai Albi ychydig yn hapusach. Brysiodd ar hyd y llwybr a gweld arwydd arall ar y goeden nesaf:

Dewch i weld yr enfys harddaf yn y byd. Ffordd hyn! ☞

"Wel, rydw i'n siŵr o gael baner felly!" meddai'n hapus, a sbonciodd yn ei flaen i gyfeiriad drws mawr y Llannerch Arian. Ni welodd Albi'r ddwy bawen fach yn gosod arwydd ar ddrws mawr y llannerch:

Dewch i roi croeso arbennig i rywun pwysig iawn!

"Bobol bach, mae rhywun wedi dechrau paratoi o fy mlaen i!" meddai Albi'n ddryslyd. "Mae'n rhaid fy mod i'n hwyr a bod y corachod eraill wedi blino aros amdanaf i! O diar, mae popeth wedi mynd o chwith heddiw!"

Rhuthrodd Albi i wthio'r drws mawr yn agored, yna arhosodd yn stond ac agorodd ei lygaid fel soseri.

Ym mhen ucha'r llannerch roedd sedd wen ddisglair, wedi'i hadeiladu o'r dannedd gwynnaf oll.

Ar y llawr roedd carped trwchus o'r dail coch harddaf.

Yn hongian fel llenni arian roedd y gwe pry cop mwyaf cywrain a welodd Albi erioed.

Yn hongian wrth frigau'r coed fel lampau bach llachar roedd y dafnau glaw disgeiriaf.

Fry uwchben yn chwifio yn y gwynt, roedd baneri lliwgar yr enfys a'r geiriau hyn arnynt:

Diolch i Albi – y Gofalwr Gorau a fu Erioed!

"Hwrê! Hwrê i Albi!" gwaeddodd rhywun. Roedd y corachod bach i gyd yno'n ei ddisgwyl, ac wrth gwrs roedd Cochan a Cochyn yno hefyd yn rhan o'r hwyl. "Diolch i ti Albi am ofalu mor dda am y Llannerch Arian!" meddai Cochan.

"Fydden ni ddim wedi medru dod yn ôl oni bai amdanat ti a dy waith caled yn gofalu am y coed," meddai Cochyn.

Cafodd Albi eistedd ar y sedd wen arbennig, a rhoi ei draed blinedig ar y carped coch hardd. Cafodd pawb wledd i'w chofio – digon o fwyar, cnau a mes. Ond roedd Albi'n poeni braidd; gobeithio'n wir fod digon o fwyd ar ôl yn y storfa ar gyfer y gaeaf. Yna cofiodd Albi am le da iawn i gael ychwaneg o gnau.
"Mi af i'w casglu ben bore fory," sibrydodd wrtho'i hun, "cyn i'r wiwerod coch yma godi."

A dyna a wnaeth.

LLEW A WILI-WYN WATCYN

Mari Gwilym

Roedd gan Llew Watcyn Tomos lygoden wen o'r enw Wili-Wyn Watcyn a oedd yn byw mewn caets yn ei stafell wely. Er mai llygoden fawr oedd Wili-Wyn, roedd yn ffrind annwyl i Llew. Byddai Llew yn gofalu amdano'n ofalus, gan gadw ei gaets yn lân, a rhoi digon o ddŵr a bwyd iddo.

Ond un bore, cododd y bachgen a chafodd andros o fraw. Pan aeth draw at gaets Wili-Wyn, i ddweud "bore da" wrtho yn ôl ei arfer, roedd y llygoden yn edrych braidd yn euog. Oherwydd, be oedd yn cropian o'i gwmpas ym mhobman yn y caets, ond nythaid o lygod bach pinc, moel! Brensiach! Roedd Wili-Wyn Watcyn wedi cael un deg tri o fabis bach del yn ystod y nos!

"O, waw! Cŵl!" meddai Llew, ar ôl iddo fo ddod dros y sioc. "Sut wnest ti hynna, Wili-Wyn, a thithau'n fachgen?!"

Edrychodd Wili-Wyn i fyw llygaid yr hogyn, a gallai Llew daeru ei fod wedi gweld wyneb y llygoden yn cochi am eiliad!

Yna'n sydyn, cofiodd fod yn rhaid cael dyn a dynes llygoden i wneud babis. Cofiodd hefyd fod ei ffrind, Sam, wedi dod i chwarae beth amser yn ôl, ac wedi dod â Sionyn, ei lygoden wen yntau efo fo, i chwarae efo Wili-Wyn. A deallodd Llew wedyn beth oedd wedi digwydd:

"A-ha! Geneth ydi Wili-Wyn siŵr, nid bachgen! O hyn ymlaen, fydd yn rhaid i mi dy alw di'n *Wini*-Wyn Watcyn!" chwarddodd

Llew. Ond tawodd â chwerthin ar ôl iddo feddwl am rywbeth ofnadwy: "Mi fydd yn rhaid i ni guddio dy blant di i gyd! Fedar Mam na Dad, na Gwen fy chwaer na Rhys fy mrawd mawr i, ddim diodde llygod!"

Yn ddistaw bach, heb i neb arall yn y tŷ amau dim, dyma fo'n ffonio Sam i ddweud wrtho fo am y llygod bach.

O! Roedd Sam wedi gwirioni! Heb i neb arall wybod, rhoddodd y bechgyn Wini-Wyn a'i theulu mewn cwt nad oedd neb yn ei ddefnyddio ym mhen pella gardd taid Sam. A daeth Sionyn, llygoden wen Sam, oedd yr un ffunud â Wini-Wyn, i fyw at Llew yn eu lle.

Gofalodd y ddau fachgen am y llygod i gyd am rai wythnosau, nes bod y babis moel, pinc wedi tyfu'n rhai bach gwynion, blewog. Erbyn hyn, roedd plant Wini-Wyn yn ddigon mawr i aros yn y cwt heb eu mam. Felly, dyma Llew yn cyfnewid Sionyn am Wini-Wyn unwaith eto. Daeth â hi yn ôl i'w chaets yn ei stafell wely, a chafodd Sionyn fynd 'nôl i fyw at Sam.

Un noson, heb i'w deulu wybod, penderfynodd Llew ddial arnyn nhw am eu bod i gyd yn casáu llygod. Sleifiodd i mewn i'r tŷ gyda'i fag chwaraeon am ei ysgwydd. Heb i neb wybod, roedd o wedi rhoi pob un o blant Wini-Wyn yn y bag. Cuddiodd y bag a'r llygod bach gwyn i gyd o dan ei wely'n ofalus.

Aeth rhai oriau heibio. Clywodd Llew sŵn rhaglen newyddion deg o'r gloch ar y teledu i lawr y grisiau. Gwyddai fod ei fam a'i dad, ei chwaer a'i frawd mawr yn gwylio'r rhaglen.

Prysurodd i dynnu'r bag chwaraeon allan o'i guddfan. Mor dawel â chysgod, rhoddodd bedair llygoden yng ngwely ei chwaer. Wedyn, aeth i stafell wely ei frawd, a rhoi pedair llygoden yn ei wely yntau. A rhoddodd y gweddill yng ngwely ei rieni!

Cyn bo hir, clywodd sŵn y set deledu'n cael ei diffodd.

Rhuthrodd Llew yn ôl i'w stafell, a chau'r drws. Neidiodd i'w wely yn ei ddillad, a thynnu'r cwilt dros ei ben, gan esgus ei fod o'n cysgu.

Ni fu'n rhaid iddo aros yn hir iawn cyn i'w chwaer ddechrau sgrechian dros y tŷ!

"W-a-a-a-a-a!" sgrechiodd Gwen. "Help! Ma' 'na lygod budr ych a fi yn y gwely!"

Tynnodd Llew y cwilt yn dynnach dros ei ben, rhag ofn i'r lleill ei glywed o'n chwerthin iddo'i hun!

"O, n-a-a-a-a! Go fflamia las ulw!" gwaeddodd ei fam. "Mae 'na lygod yn dringo o'r gwely ac yn cnoi fy nghyrtens newydd i!"

Ac wedyn bytheiriodd ei frawd dros y lle:

"... ac mae 'na rai yn bwyta tudalen ola fy llyfr i! Cha i byth wybod be oedd diwedd y stori!"

A gwaeddodd Gwen eto: "Llew sy wedi gwneud hyn! Mae o wedi rhoi llygod yn stafelloedd gwely PAWB!"

"Reit!" meddai Rhys. "Dwi'n mynd i roi bonclust iddo fo nes bydd o'n gweiddi mewn poen!"

"Na! Arhoswch!" meddai eu tad yn awdurdodol. "Chaiff neb ymladd a chwffio yn y tŷ 'ma! Mi fydd yn rhaid i ni drafod y mater, a rhaid i Llew ymddiheuro!" Ac yna gwaeddodd ar Llew: "Llew! Tyrd yma!"

Felly bu'n rhaid i Llew egluro'r cyfan – hanes Wili Wyn yn cael babis, a'i fod yntau yn poeni bod ei deulu am gael gwared arnyn nhw. Ac yn ei dymer, gwaeddodd ar ei deulu:

"... a dw inna 'di 'laru arnoch chi i gyd am gasáu llygod! Does 'na ddim byd o'i le ar fy llygod i! Maen nhw i gyd yn lân ac... ac yn ofnadwy o annwyl, a... a... dwi'n eu caru nhw! Os ydi'r llygod yn gorfod mynd o'ma, dw inna'n mynd hefyd!"

Edrychodd pawb ar Llew yn syfrdan. Doedd neb wedi ei glywed yn siarad mor danbaid â hyn o'r blaen!

Yna ymhen rhyw funud neu ddau, gofynnodd ei fam mewn llais bach gwan: "Lle wyt ti wedi bod yn cadw'r llygod bach 'na i gyd tan rŵan?"

Eglurodd Llew hanes y cwt yng ngardd taid Sam.

"Hmmmm," meddai ei dad gan grafu ei ên. "Mewn cwt."

"W-a-a-a-a-a-a!" sgrechiodd Gwen wrth i un o'r llygod geisio dringo i fyny coes cadair roedd hi'n sefyll arni.

"Reit! Dyna ddigon!" meddai ei fam. "Dos i dy wely, Llew!" meddai'n ddig.

Suddodd calon y bachgen. Roedden nhw i gyd am gael gwared â'r llygod – roedd o'n siŵr o hynny!

"Ond Mam...!" protestiodd. Ond doedd 'na neb yn gwrando arno. Roedd ei dad a'i fam yn brysur yn dal y llygod bach i gyd, ac roedd ei frawd a'i chwaer wedi mynd i'w gwlâu o'r ffordd.

Yn drist a distaw, aeth Llew yn ôl i'w stafell wely, ac roedd dagrau hallt yn powlio i lawr ei wyneb. Aeth at Wini-Wyn, ac ymddiheuro o waelod calon iddi am ymddygiad ei deulu o tuag at ei theulu hi. Edrychodd y llygoden annwyl yn benisel ac yn llawn cydymdeimlad arno... Chysgodd Llew yr un winc drwy'r nos. Gwyddai fod y diwedd wedi dod, ac na fyddai yna'r un llygoden fach ar ôl erbyn y bore. Dim un wan jac. Sut yn y byd allai pobl fod mor greulon?!

Bore Sadwrn oedd hi drannoeth, ac arhosodd Llew yn ei wely i bwdu, cnoi ei ewinedd, ac i feddwl sut roedd o am ddianc ymhell i ffwrdd oddi wrth ei deulu melltigedig! Ond tua chanol y bore, daeth ei dad ato.

"Pen-blwydd hapus, Llew!" meddai.

Yng nghanol yr holl drybini gyda'r llygod, roedd Llew wedi anghofio popeth am ei ben-blwydd ei hun!

"Edrych drwy'r ffenest," meddai ei dad.

Doedd Llew ddim wedi agor y llenni eto, heb sôn am edrych allan. Yn benisel, ufuddhaodd i'w dad. Yna cafodd andros o syndod pan welodd fod 'na gwt bach newydd yng nghornel bellaf yr ardd gefn.

"Cwt?" meddai'n syn. "Hwnna ydi fy anrheg i? Ond pam...?"

"Cartref newydd y llygod ydi o," meddai ei dad. "Mae 'na un deg tri ohonyn nhw'n aros amdanat ti mewn caetsys newydd yn

y cwt. Mae'r hogiau i gyd gyda'i gilydd. A'r merched i gyd mewn caetsys sy'n ddigon pell oddi wrth y bechgyn! Mae'n hen bryd i ti godi, a mynd â'u mam atyn nhw."

Edrychodd Llew yn gegagored ar ei dad. Roedd o'n methu credu'r peth! Yna, rhedodd ato a gafael yn dynn amdano, a gweiddi dros y tŷ:

"Diolch, diolch, Dad! Chdi ydi'r tad gorau yn y byd i gyd! Dydi Mam, Gwen a Rhys ddim yn ddrwg, chwaith!"

COLLI DANT

Bethan Gwanas

Roedd dant blaen Cadi Fflur wedi bod yn rhydd ers dyddiau. Roedd hi'n gallu cydio ynddo efo'i bys a'i bawd a'i siglo'n ôl a mlaen. Roedd hyd yn oed ei thafod yn gallu gwneud iddo symud. Ac un bore, wrth iddi fwyta ei thôst a banana, dyna lle roedd y dant – yn sgleinio'n sownd yn y tôst!

"Mam!'" gwaeddodd Cadi Fflur. "Mae fy nant i wedi dod allan! Sbia!"

Brysiodd ei mam ati, a chwerthin.

"Wel o'r diwedd! Iawn, cadwa fo'n ddiogel rŵan, er mwyn i ti gael ei roi o dan dy obennydd heno."

"Y? O dan y gobennydd? Pam?"

"Am fod y tylwyth teg yn talu'n dda am ddannedd. Pan fyddi di'n deffro yn y bore, mi fydd 'na bres o dan dy obennydd di, yn lle'r dant!"

"Mi fydd y tylwyth teg wedi mynd â fo?"

"Byddan."

"Pam? Be maen nhw'n 'i neud efo dannedd?"

Oedodd ei mam am eiliad.

"Wsti be? Dwi'm yn siŵr. Ond os weli di un o'r tylwyth teg heno, gei di ofyn iddyn nhw!"

Wel, roedd Cadi Fflur wedi cynhyrfu'n rhacs. Y tylwyth teg yn dod i'w llofft hi heno? Doedd hi ddm yn mynd i gysgu winc! Doedd hi 'rioed wedi gweld un go iawn, ac roedd hi bron â drysu eisiau cyfarfod ag un yn y cnawd.

Golchodd ei dant yn ofalus dan y tap, ei sychu efo hances a'i osod yn ofalus iawn, iawn o dan y gobennydd. Ond doedd hi ddim yn amser cinio eto! O diar, roedd heddiw'n mynd i fod yn ddiwrnod ofnadwy o hir.

Ceisiodd dynnu ei meddwl oddi ar y tylwyth teg drwy helpu Mam, chwarae efo Del y ci ac edrych ar ei hun yn y drych.

Roedd ganddi fwlch yn ei dannedd rŵan, ac roedd hi'n edrych yn rhyfedd iawn bob tro y byddai'n gwenu. Allai ei Mam ddim peidio â chwerthin bob tro y byddai'n edrych arni, ac roedd Del y ci yn sbio'n rhyfedd arni hefyd.

O'r diwedd, roedd hi'n amser gwely. Wedi i Mam ddarllen stori iddi (yn llawer rhy araf!) a rhoi sws ar ei thalcen, caeodd ei llygaid ac esgus mynd i gysgu.

"Nos da, cariad," meddai Mam wrth ddiffodd y golau. Ond dywedodd Cadi Fflur ddim byd – roedd hi'n esgus cysgu!

Arhosodd yn effro am yn hir, hir, ond roedd ei llygaid mor drwm. Doedd 'na ddim golwg o'r tylwyth teg ac roedd ei llygaid hi'n cau. Gwthiodd ei llaw o dan y gobennydd. Oedd y dant yn dal yno? Oedd, diolch byth. Mi fyddai'n ofnadwy tase'r tylwyth teg wedi... ac yn sydyn, roedd Cadi Fflur yn cysgu'n sownd.

Pan roedd pawb yn y tŷ'n

cysgu'n drwm, a neb yn y stryd tu allan (dim ond ambell gath a gwdihŵ), fflachiodd golau bychan y tu allan i ffenest llofft Cadi Fflur. Bu'r golau'n hofran wrth y gwydr am 'chydig, ac yna, heb wneud sŵn o gwbl, sleifiodd i mewn i'r llofft. Glaniodd ar y cwpwrdd bychan wrth y gwely a throi'n dylwythen deg fach, fach, eithriadol o dlws. Roedd ei dillad wedi'u gwneud o ddail a blodau, ac roedd ganddi sach wedi'i gwneud o we pry cop ar ei chefn. Ac roedd hi'n ysgwyd ei phen-ôl o hyd! Roedd ei henw, Sigldidwten,

yn ei siwtio i'r dim. Ond doedd hi ddim yn edrych yn hapus. A deud y gwir, roedd 'na olwg braidd yn nerfus arni.

Dach chi'n gweld, dyma'r tro cyntaf erioed i'r dylwythen fach deg hon fynd i nôl dant plentyn ar ei phen ei hun.

"O diar, o diar, o diar," sibrydodd wrthi'i hun. "Mae'n rhaid i mi wneud hyn yn iawn! Yn dawel, dawel, heb ddeffro'r plentyn 'ma. Ond be ydi'r holl lygaid 'na?!' gofynnodd yn ofnus wrth weld y tedis a'r cŵn mawr blewog a oedd mewn pentwr wrth droed gwely Cadi Fflur. Rhewodd.

Ond ni symudodd yr anifeiliaid yr un blewyn. "Mae'n rhaid eu bod nhw'n cysgu," meddyliodd. "Ond pam eu bod nhw'n cysgu efo'u llygaid ar agor? Ond dim bwys amdanyn nhw rŵan! Nôl y dant, dyna dwi i fod i'w wneud!"

Camodd yn ofalus dros gorff cysglyd Cadi Fflur a stwffio'i hun o dan y gobennydd nes bod dim ond ei thraed yn y golwg. Roedd hi'n dywyll iawn yno, a phen y ferch fach yn drwm ar y gobennydd, ond – aha! Dyna lle roedd y dant – yn fawr ac yn oer.

Ceisodd ei dynnu tuag ati, ond roedd o'n rhy sownd. Gwasgodd ei hun y tu ôl iddo a cheisio'i wthio efo'i choesau; a diolch byth, roedd o'n dechrau symud.

Roedd hi bron yno, bron â'i wthio allan i'r awyr iach, ond – O, na! Roedd y ferch fach yn troi yn ei chwsg! Gwthiodd Sigldidwten yn galetach, ond fel roedd hi a'r dant yn dod yn rhydd o'r gobennydd, daeth pen mawr y ferch drostyn nhw a – SBLAT! Roedden nhw'n sownd o dan foch binc, boeth Cadi Fflur! Doedd Sigldidwten druan ddim yn gallu symud! Ceisiodd ysgwyd ei hun yn rhydd, ond y cwbl wnaeth hynny oedd cosi boch Cadi – a'i deffro!

Cododd Cadi Fflur ei phen ac edrych ar y peth bach tlws, chwyslyd oedd yn crynu wrth ei thrwyn. Smiciodd ei hamrannau. Rhewodd y dylwythen deg. Ceisiodd godi a dianc ond roedd Cadi'n rhy sydyn iddi. Saethodd ei llaw allan a'i dal.

"Aw! Paid!" gwichiodd y peth bach. "Paid â 'ngwasgu i!"

"Wna i ddim," sibrydodd Cadi'n garedig, "dim ond isio edrych arnat ti ydw i!"

"Ond dwi'm fod i adael i neb fy ngweld i! O diar, o diar, o diar..." Roedd Sigldidwten fach yn crio.

"Paid â chrio, wna i'm deud wrth neb mod i wedi dy weld ti," meddai Cadi.

"Iawn, gad i mi fynd 'ta," meddai Sigldidwten.

"Os wnei di addo rhywbeth i mi," meddai Cadi – a oedd ddim yn dwp!

"Iawn, mi wna i addo, ond plis gad i mi fynd!" meddai'r dylwythen druan, a oedd isio

mynd adre mwya ofnadwy.

"Iawn, addo yr ei di â fi efo ti i Wlad y Tylwyth Teg," meddai Cadi.

"Be?! Ond fedra i ddim! Mi ga i goblyn o ffrae!" gwichiodd Sigldidwten.

"Fedri di ddim defnyddio dy hud i 'nghuddio i?"

"Fy hud? O, be? Y llwch hud ti'n 'i feddwl? Wel, gallwn mae'n debyg... Iawn, dwi'n addo mynd â ti efo fi i Wlad y Tylwyth Teg! Ond mae'n rhaid i ti addo peidio â deud wrth neb dy fod ti wedi bod yno!"

"Addo, cris-croes, tân poeth," sibrydodd Cadi Fflur.

"Iawn. Rŵan, agor dy hen law fawr chwyslyd!"

Dyw tylwyth teg byth yn torri'u gair, felly wedi i Sigldidwten ddod at ei hun a gwneud yn siŵr nad oedd ei hadenydd wedi malu, estynnodd i'w phwrs bychan o betal rhosyn a thaenu cawod fechan o lwch hud dros ben Cadi Fflur. Cyn pen dim, roedd y ddwy yn ddau smotyn bach o olau yn hofran yn yr awyr. Doedd un ddim yn hofran cystal â'r llall, ac yn taro yn erbyn y wal a'r ffenest bob munud. Ond wedi iddi ddod i arfer, i ffwrdd â'r ddwy – allan i'r nos a thros y coed, y tai a'r cymylau ar goblyn o wib.

"O waw! Mae hyn yn hwyl!" chwarddodd Cadi Fflur. Roedd Sigldidwten yn rhy ofnus i ddweud dim.

Cyn hir, roedden nhw'n gwibio drwy gwmwl trwchus ac yna'n llithro i lawr enfys.

Ar y gwaelod, roedd 'na balas mawr gwyn yn sgleinio yn yr haul. I mewn â nhw drwy'r giât, ac i ddinas hyfryd lle roedd cannoedd o dylwyth teg yn hedfan, sgwrsio, garddio, chwarae a chwerthin. Roedd Cadi Fflur mor hapus, roedd hi bron â chrio! Ond roedd Sigldidwten yn crynu – roedd ganddi ofn i'r tylwyth teg eraill weld ei bod wedi dod â phlentyn o'r Byd Mawr i'w byd nhw. Cuddiodd y ddwy y tu ôl i goeden o fefus coch a melyn.

"Iawn, dyma ni," meddai Sigldidwten, "ti wedi gweld gwlad y tylwyth teg. A' i â ti adre rŵan."

"Ond dwi isio gweld mwy na hyn!" protestiodd Cadi Fflur. "Dim ond newydd gyrraedd ydan ni!"

"Ooo... iawn, pum munud arall 'ta. Be ti isio'i weld?"

"Wel... mi fysa'n braf gweld be dach chi'n 'i neud efo'r holl ddannedd dach chi'n eu hel."

"Edrych o dy gwmpas di, y lembo..." meddai Sigldidwten. Edrychodd Cadi Fflur o'i chwmpas. Ond welai hi 'run dant yn unman. Rholiodd Sigldidwten ei llygaid yn ddiamynedd.

"Sbia... pa liw ydi pob tŷ, pob postyn ffens, pob palmant?"

"Gwyn," meddai Cadi Fflur, gan edrych o'i chwmpas. "Gwyn glân, glân, sy'n sgleinio fel... fel dannedd!"

"Wel, o'r diwedd..." meddai Sigldidwten.

"Ond sut dach chi'n gneud tai allan o ddannedd?"

"Ty'd efo fi," meddai Sigldidwten, gan droi'r ddwy'n smotiau o olau unwaith eto a hedfan i ben draw'r ddinas.

Cyn pen dim, roedden nhw y tu allan i ffatri, ond ffatri daclus a glân iawn. Roedd yno gannoedd o dylwyth teg bychain yn llifio, sgwrio a sgleinio dannedd, ac yn eu cerfio'n gadeiriau tlws, yn fframiau ffenestri, yn frics ac yn bolion ffensys – pob dim allwch chi feddwl amdano! Ac wrth y giât, roedd 'na ugeiniau o bilipalod mawr lliwgar yn disgwyl i'r tylwyth teg orffen llwytho'r ceirt roedden nhw'n eu tynnu; ceirt a oedd yn llawn o frics, drysau a theils llawr gwyn, gwyn; llachar o wyn.

"Waw!" meddai Cadi Fflur, a'i cheg fel ceg pysgodyn. "Ond be ydi'r bryn melyn acw?" Pwyntiodd at fynydd bychan ym mhen draw buarth y ffatri.

"O, y dannedd oedd ddim yn ddigon da," meddai Sigldidwten. "Dannedd plant sydd ddim wedi bod yn glanhau eu dannedd yn rheolaidd ac yn bwyta gormod o fferins. Mae'r rheiny jest yn cael eu malu'n llwch i wneud sment."

Llyncodd Cadi Fflur yn galed ac addo iddi'i hun na fyddai hi byth, byth yn mynd i'w gwely heb lanhau ei dannedd eto.

Roedd Sigldidwten yn reit hoff o Cadi Fflur erbyn hyn. "Mae hi'n hogan fach annwyl iawn wedi'r cwbl," meddyliodd. Felly penderfynodd fynd â hi i weld mwy o fyd y tylwyth teg. Mi fuon nhw'n chwarae ar lithren enfys, yn sgïo dŵr y tu ôl i bilipalod mawr glas, ac yn cael te parti efo teulu o fuchod coch cwta lle cafodd Cadi Fflur y darten fefus fwya a'r mwya blasus erioed!

"Dyma'r diwrnod gorau i mi

ei gael yn fy myw!" meddai wrth Sigldidwten. "Diolch yn fawr i ti am ddod â fi yma, ac mae'n ddrwg iawn gen i am dy ddal di fel y gwnes i."

"O, mae'n iawn..." meddai Sigldidwten, gan gochi at ei chlustiau bach pigog. "Mae hi wedi bod yn bleser dy gael di yma. Ond mae arna i ofn y bydd yn rhaid i mi fynd â thi'n ôl rŵan. Ti'n barod? Chydig o lwch hud... ac i ffwrdd â ni!"

Agorodd Cadi Fflur ei llygaid yn araf. Ew, roedd y gwely'n braf, a doedd hi ddim isio codi. Yna cofiodd yn sydyn – roedd hi wedi bod yng Ngwlad y Tylwyth Teg efo Sigldidwten neithiwr! Ond rhyfedd... doedd hi ddim yn cofio'r daith yn ôl o gwbl. Ac roedd hi'n amlwg wedi bod yn cysgu'n drwm ers oriau. O na, nid breuddwydio'r cwbl wnaeth hi, naci? Cododd ei gobennydd yn gyflym. Oedd, roedd ei dant wedi mynd a phunt yn sgleinio yno yn ei le. Ond doedd hynny ddim yn golygu nad breuddwydio'r cwbl wnaeth hi.

Ochneidiodd yn drwm. Roedd hi'n siŵr, yn berffaith siŵr ei fod o wedi digwydd go iawn. Ond doedd na'm byd i brofi hynny; nagoedd? Cododd yn araf a llusgo'i hun i'r stafell molchi. Cydiodd yn ei brwsh dannedd a thaenu'r past gwyn drosto. A dyna pryd y gwelodd hi ei hun yn y drych. Doedd o ddim yn amlwg i ddechrau, ond pan aeth yn agosach at y gwydr... oedd! Roedd 'na fymryn bach o lwch hud yn ei gwallt hi!

Gwenodd a dechrau chwerthin.

"Ti'n swnio'n hapus iawn!" meddai ei mam o ben y grisiau. "Ddoth y tylwyth teg neithiwr, do?"

"O, do," meddai Cadi Fflur. "Do, yn bendant." Ond ddywedodd hi ddim mwy na hynny, achos roedd hi wedi addo peidio â deud. Ac roedd ganddi ddant arall yn dechrau siglo...

Nos . . .

. . . da!

Wedi mwynhau'r straeon?
Cofiwch am gyfrol gyntaf y gyfres:
STORI CYN CYSGU

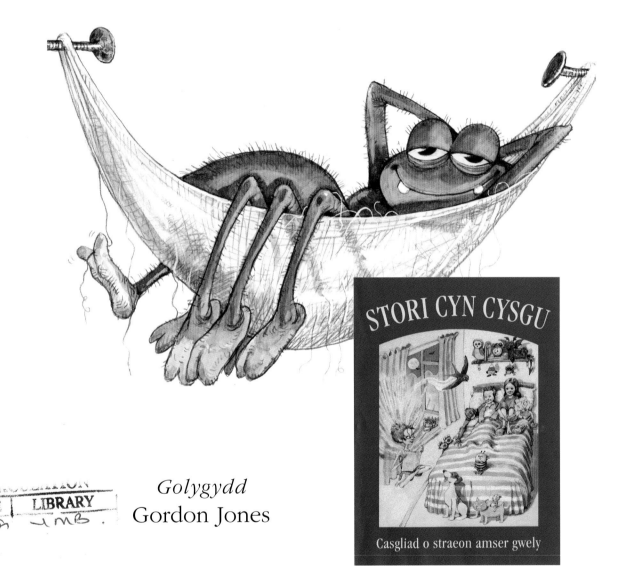

Golygydd
Gordon Jones

Awduron

Caryl Lewis   Bethan Gwanas   Angharad Tomos
Myrddin ap Dafydd   Iola Jôns   Haf Llewelyn
Elin Meek   Gordon Jones   Helen Emanuel Davies

Gwasg Carreg Gwalch, 12 Iard yr Orsaf, Llanrwst, Dyffryn Conwy, Cymru LL26 0EH.

Rhif Llyfr Safonol Rhyngwladol: 1-84527-002-9